CHARADINHAS

SEMELHANÇAS E DIFERENÇAS

Ciranda Cultural

SEMELHANÇAS E DIFERENÇAS

1. Qual a semelhança entre um habeas corpus e um laxante?

2. Qual a diferença entre um parafuso e um repórter?

3. Qual a diferença entre um carpinteiro e um bebê chorão?

4. Qual a diferença entre o médico, o covarde e o tempo?

5. Qual a diferença entre a fotografia e o Sol?

6. Qual a semelhança entre um goleiro e o sonhador?

7. O que o carro, o celular, a escola de samba e a banda de rock têm em comum?

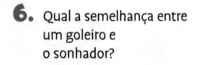

RESPOSTAS: 1. Ambos servem para soltar o que está preso. 2. O parafuso faz o furo e o repórter procura o "furo". 3. O carpinteiro quer boa madeira, o bebê quer mamadeira. 4. O tempo decorre, o médico socorre, e o covarde corre. 5. A fotografia se tira, e o Sol se põe. 6. Ambos têm uma meta. 7. Todos eles têm bateria.

SEMELHANÇAS E DIFERENÇAS

8. **Qual é a diferença entre a tartaruga, o navio e a família?**

9. Qual a semelhança entre um livro e um elefante?

10. Qual é a diferença entre a fita adesiva e o avião?

11. Qual a semelhança maior entre um trem antigo e um churrasco?

12. Qual a semelhança entre um trem e um juiz de futebol?

13. Qual a diferença entre a mulher e a onça?

RESPOSTAS: 8. A tartaruga tem casco em cima, o navio tem o casco embaixo. E a família? Vai bem obrigado! 9. As notáveis orelhas. 10. A fita adesiva cola, e o avião decola. 11. Ambos são movidos a carvão. 12. Ambos apitam na partida. 13. É que a mulher pode andar maquiada, já a onça está sempre pintada.

SEMELHANÇAS E DIFERENÇAS

14. O que o Rio Grande do Norte e o fim de ano têm em comum?

15. Qual a diferença entre a calça e a bota?

16. O que o abacaxi e o abacate têm que o chapéu também tem?

17. Qual a diferença entre a namorada tímida e a chata?

18. Qual a diferença entre a vaca e o palhaço?

19. Qual a semelhança entre os leilões e as escadas?

20. Qual a diferença entre um peru e um esquimó?

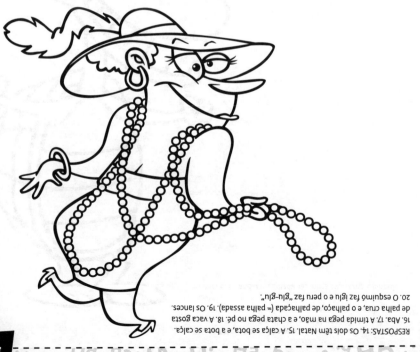

RESPOSTAS: 14. Os dois têm Natal. 15. A calça se bota, e a bota se calça. 16. Aba. 17. A tímida pega na mão, e a chata pega no pé. 18. A vaca gosta de palha crua, e o palhaço, de palhaçada (= palha assada). 19. Os lances. 20. O esquimó faz iglu e o peru faz "glu-glu".

SEMELHANÇAS E DiFERENÇAS

21. Qual a diferença entre o t-rex e um dentista?

22. Qual a semelhança entre a porcelana chinesa e a brasileira?

23. Qual a diferença entre uma pessoa que fala muito e um espelho?

24. Entre uma tartaruga e um elefante, quem é mais forte?

25. Qual é a semelhança entre o dinheiro e o segredo?

26. Qual a diferença entre o cavalo e a zebra?

27. **O que os livros têm e as árvores, também?**

RESPOSTAS: 21. O t-rex é um tiranossauro, e o dentista é um "tiranodente". 22. Ambas quebram do mesmo jeito. 23. A pessoa que fala muito não reflete o que fala e o espelho reflete sem falar. 24. A tartaruga, porque ela leva a casa nas costas. 25. Os dois são difíceis de se guardar. 26. A zebra nunca tira o pijama. 27. Folhas.

SEMELHANÇAS E DiFERENÇAS

28. Qual a diferença entre a palavra "ônibus" e o veículo ônibus?

29. Por que os campos de golfe se parecem com um queijo suíço?

30. Qual a semelhança entre o conhecimento e a maçaneta?

31. Qual a semelhança entre o café e as dívidas?

32. Qual a diferença entre os olhos e um fofoqueiro?

33. Qual a semelhança entre a galinha e o sarampo?

RESPOSTAS: 28. A palavra tem acento, e o veículo tem assento. 29. Porque são cheios de buracos. 30. Os dois abrem portas. 31. Ambos tiram o sono. 32. Os olhos veem tudo, mas não contam pra ninguém. 33. As pintinhas.

SEMELHANÇAS E DIFERENÇAS

34. Qual a semelhança entre uma camiseta regata e uma um pé de manga fora de estação?

35. Qual a semelhança entre um parafuso e um padaria?

36. Qual a diferença entre um jabuti e um barco?

37. Por que o padeiro e o pedreiro se parecem tanto?

38. Entre o pianista e o fofoqueiro, que toca mais alto?

39. Qual a diferença entre um rio e um covarde?

40. Qual a diferença entre o ar e a festa?

RESPOSTAS: 34. Nenhum dos dois tem manga. 35. Ambos têm rosca. 36. O jabuti tem o casco para cima, e o barco, casco para baixo. 37. Porque estão sempre com a mão na massa. 38. O fofoqueiro, porque ele bota a boca no trombone. 39. O rio corre para o mar e o covarde para qualquer lugar. 40. O ar é vento, a festa, evento.

SEMELHANÇAS E DIFERENÇAS

41. Qual a semelhança entre um geógrafo e um bêbado?

42. Qual a semelhança entre alguém que nasceu na fronteira entre o Brasil e o Chile e alguém que nasceu na fronteira entre o Brasil e o Equador?

43. Qual a semelhança entre um adolescente em fase de crescimento e os preços de supermercados?

44. Qual a semelhança entre um táxi sem passageiros e um ex-prisioneiro?

45. Quando um homem se parece com um automóvel de Fórmula 1?

46. Qual a semelhança entre um gênio e o abajur?

RESPOSTAS: 41. Eles concordam que a Terra nunca para de se mexer. 42. Nenhuma, pois o Brasil não faz fronteira com esses países. 43. Ambos estão cada vez mais altos. 44. Ambos estão livres. 45. Quando ronca. 46. Ambos têm lâmpada.

SEMELHANÇAS E DIFERENÇAS

47. Qual é a semelhança entre um corredor de automóvel e o investigador obstinado?

48. Qual a principal diferença entre o Brasil e todos os outros países?

49. Qual a diferença entre um jogador de basquete e uma mentira?

50. Qual a semelhança entre o elefante e um supercomputador?

51. Qual a semelhança entre a bananeira e o cabelo ondulado?

52. Qual a diferença entre um mau artista e um bebê?

53. Qual a diferença entre os dias do piloto de avião os das pessoas comuns?

RESPOSTAS: 47. Não deixam pista. 48. Só o Brasil produz brasileiros. 49. A mentira tem pernas curtas; o jogador de basquete tem pernas compridas. 50. Ambos têm boa memória. 51. Ambos têm cachos. 52. O mau artista faz dormir; um bebê não deixa ninguém dormir. 53. Os do piloto de avião passam voando.

SEMELHANÇAS E DIFERENÇAS

54. Qual a semelhança entre o amor e a capital da Itália?

55. Qual é a semelhança entre o boné e a peruca?

56. Qual a semelhança entre o lutador de boxe e o telescópio?

57. Qual a diferença entre vários músicos e vários bandidos?

58. Qual a semelhança entre um bando de malfeitores e a festa junina?

59. O que um formigueiro tem maior que um prédio?

60. Qual a semelhança entre um lavrador e uma minhoca?

RESPOSTAS: 54. Amor e Roma são a mesma palavra, de trás para a frente. 55. Ambos conhecem a careca. 56. Ambos podem fazer uma pessoa ver estrelas. 57. Vários músicos formam uma banda, vários bandidos formam um bando. 58. Ambos formam quadrilha. 59. O nome. 60. Ambos cavam a terra.

SEMELHANÇAS E DIFERENÇAS

61. Por que o porco foi expulso do jogo de futebol?

62. Qual a semelhança entre um cachorro e uma pessoa superestressada?

63. O que um espelho e um raio têm em comum?

64. Qual a diferença entre uma lagoa e uma padaria?

65. Qual a diferença entre o poligrota e o poliglota?

66. Por que devemos beber o suco devagar?

67. Quem é maior, a Lua ou o Sol?

RESPOSTAS: 61. Porque ele jogava sujo. 62. Ambos levam uma vida de cão. 63. Ambos refletem luz. 64. Na lagoa tem sapo e na padaria assa pão. 65. É que o poligrota fala diversos idiomas, mas todos errados. 66. Pra ele ficar suco-lento. 67. É a Lua, porque ela pode sair à noite.

SEMELHANÇAS E DIFERENÇAS

68. O que o cavalo e o telefone têm em comum?

69. Qual a semelhança entre uma impressora nova e uma pessoa muito arrumada?

70. Qual a diferença entre uma manicure e uma dentista quando entram numa briga?

71. Qual a diferença entre um gato e um refrigerante de baixa caloria?

72. Qual a diferença entre óculos verdes e óculos vermelhos?

73. Em que a gripe se parece com a ratoeira?

RESPOSTAS: 68. Com os dois, é possível dar um trote. 69. Eles sempre produzem uma boa impressão. 70. A manicure briga com unhas, a dentista briga com dentes (= brigar com unhas e dentes). 71. O gato mia, e o refrigerante é light. 72. Os verdes são para VER DE perto, e os vermelhos, para VER MELHOR. 73. Ambos pegam.

SEMELHANÇAS E DiFERENÇAS

74. **Qual a diferença entre a doceria e o ventilador parado?**

75. Qual a diferença entre o esportista e o sino?

76. Qual a semelhança entre o professor e o termômetro?

77. Qual a diferença entre o Paraná e uma agulha?

78. Qual a diferença entre a matemática e o lápis?

79. Qual a diferença entre uma galinha e um tecido?

RESPOSTAS: 74. Na doceria tem bananada, e o ventilador parado não abana nada. 75. Quando se agitam, o esportista sua, e o sino soa. 76. Algumas vezes, ambos dão zero. 77. O Paraná tem Ponta Grossa, e a agulha tem ponta fina. 78. Na matemática, você faz conta, no lápis você faz ponta. 79. A galinha bota, e o tecido desbota.

SEMELHANÇAS E DIFERENÇAS

80. O que o pernilongo tem maior que o elefante?

81. Qual a semelhança entre uma tartaruga e um caracol?

82. Qual a diferença entre o curioso e o fonoaudiólogo?

83. Qual a diferença entre o eletricista e a orquestra?

84. Qual a diferença entre o relógio de corda e o cavalo?

85. Qual a diferença entre o joelho e o coelho?

86. Qual a diferença entre o burro e a paca?

RESPOSTAS: 80. O nome. 81. Ambos têm casa própria. 82. O curioso pergunta o que houve, e o fonoaudiólogo pergunta o que ouve. 83. O eletricista faz consertos, e a orquestra faz concertos. 84. Quando arrebenta a corda, o relógio para, e o cavalo dispara. 85. Uma letra. 86. O burro empaca, mas a paca não emburra.

SEMELHANÇAS E DIFERENÇAS

87. Qual a semelhança entre a árvore e uma loja de guarda-chuvas?

88. Qual a semelhança entre um arquiteto e um botânico?

89. O que a carteira tem em comum com o martelo?

90. Qual a semelhança entre o carro e uma igreja?

91. Qual a semelhança entre o verbo e o Buzz Lightyear?

92. Qual a diferença entre a pessoa religiosa e o bule?

93. Qual a diferença entre a praia, a cama e a perna?

RESPOSTAS: 87. Ambas fornecem sombrinhas. 88. Ambos lidam com plantas. 89. As letras a, r, t, e. 90. Ambos têm velas. 91. Vão ao infinitivo e além! 92. A pessoa religiosa é de muita fé, e o bule é de por café (= de pouca fé). 93. A praia tem concha, a cama tem colcha e a perna tem coxa.

SEMELHANÇAS E DIFERENÇAS

94. Qual a diferença entre o pato com mau hálito, o saci e a centopeia?

95. Qual a diferença entre o atleta da equipe de jóquei e um homem gentil?

96. O que o caixa eletrônico e o tomate têm em comum?

97. Quem é melhor nas artes marciais, o esparadrapo ou a fita isolante?

98. O que aproxima o prato e o pato?

99. Qual a diferença entre o dia e a noite?

100. Qual a diferença entre o zíper e o elevador?

RESPOSTAS: 94. A centopeia tem várias pernas, o saci tem uma só, e o pato com mau hálito não consegue nenhuma pata. 95. O primeiro é um cavaleiro, o segundo, um cavalheiro. 96. Dos dois se pode tirar extrato. 97. A fita isolante, pois ela é faixa preta. 98. É que podemos comer o pato no prato. 99. Uma tarde. 100. O zíper sobe para fechar, e o elevador fecha para subir.